BUTTONVILLE PUBLIC SCHOOL
LIBRARY

D1088155

Ce titre est une création Bayard Jeunesse.

**Textes**
Charlotte Ruffault,
Anne Francou,
assistées d'Isabelle Bézard

**Illustrations**
Régis Faller

**Conception graphique**
Charlotte Moundlic

**Iconographie**
Céline Garrigues,
Nathalie Diochet

**Suivi éditorial**
Nathalie Diochet

**Fabrication**
Henri Charbonneau

© Bayard Jeunesse, 2000
Bayard Jeunesse, 3, rue Bayard, 75008 Paris
Dépôt légal : mars 2000
ISBN : 2 227 74303 4
Tous les droits réservés. Reproduction, même partielle, interdite.
Loi n° 49-956 du 16 juillet 1949 sur les publications destinées à la jeunesse

# Le bébé

BAYARD JEUNESSE

Voici l'histoire, merveilleuse et étonnante, du bébé.
Elle commence par un grand jeu de hasard :
d'un côté, dans le ventre de la maman,
un minuscule œuf part en voyage ;
de l'autre, dans le pénis du papa, des millions de
spermatozoïdes, de petites virgules avec une tête
et une queue, attendent le signal de départ.
Le premier qui rencontrera
l'œuf voyageur aura gagné.
C'est parti ! Ils foncent, agitent
leur petite queue pour aller plus vite.
Mais, déjà, certains s'épuisent ou se perdent
en route. Quelques malins ont trouvé l'œuf.
Ils tournent autour. Soudain, l'un d'eux plonge,
la tête la première, et disparaît à l'intérieur.

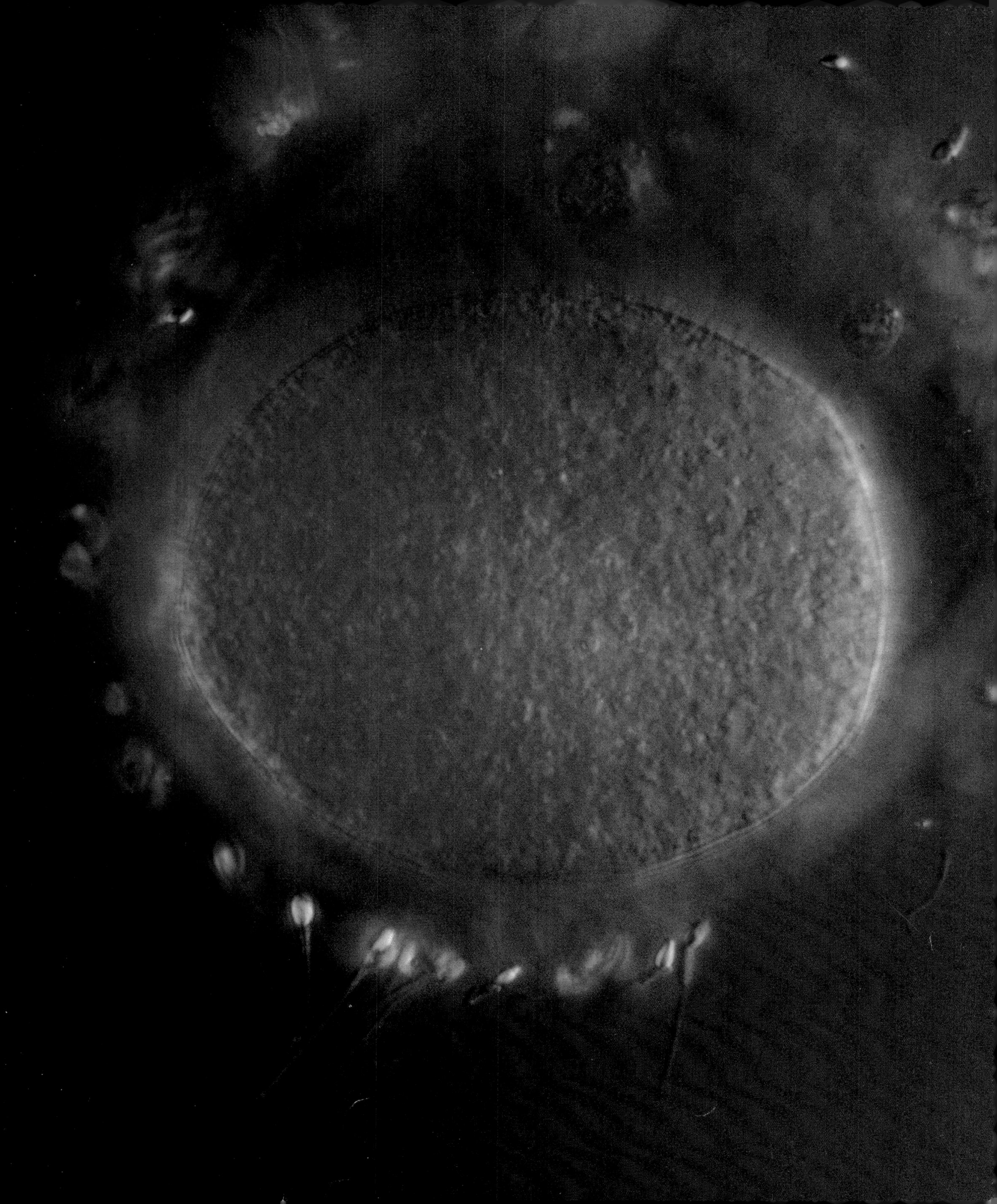

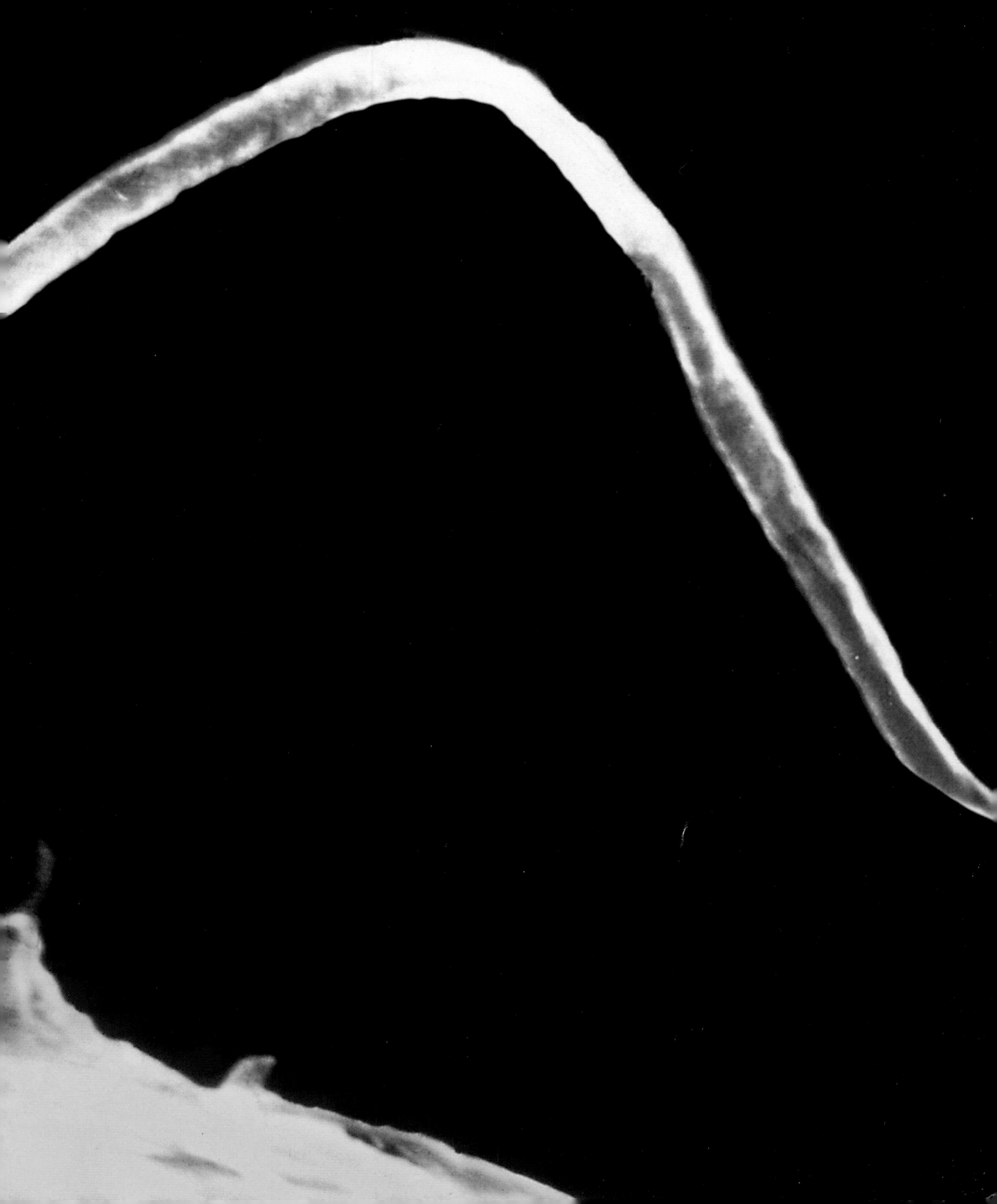

Un jour passe, et puis une nuit,
et d'un seul coup l'œuf
tout rond se divise
et devient deux, puis quatre,
puis seize, et puis trente-deux...
Ce n'est plus une boule,
mais une multitude de boules,
serrées les unes contre les autres,
qui se baladent dans l'utérus,
une poche dans le ventre de la maman.
Chaque petite boule est une cellule.
Ces cellules sont les plus petits
éléments vivants de la nature.

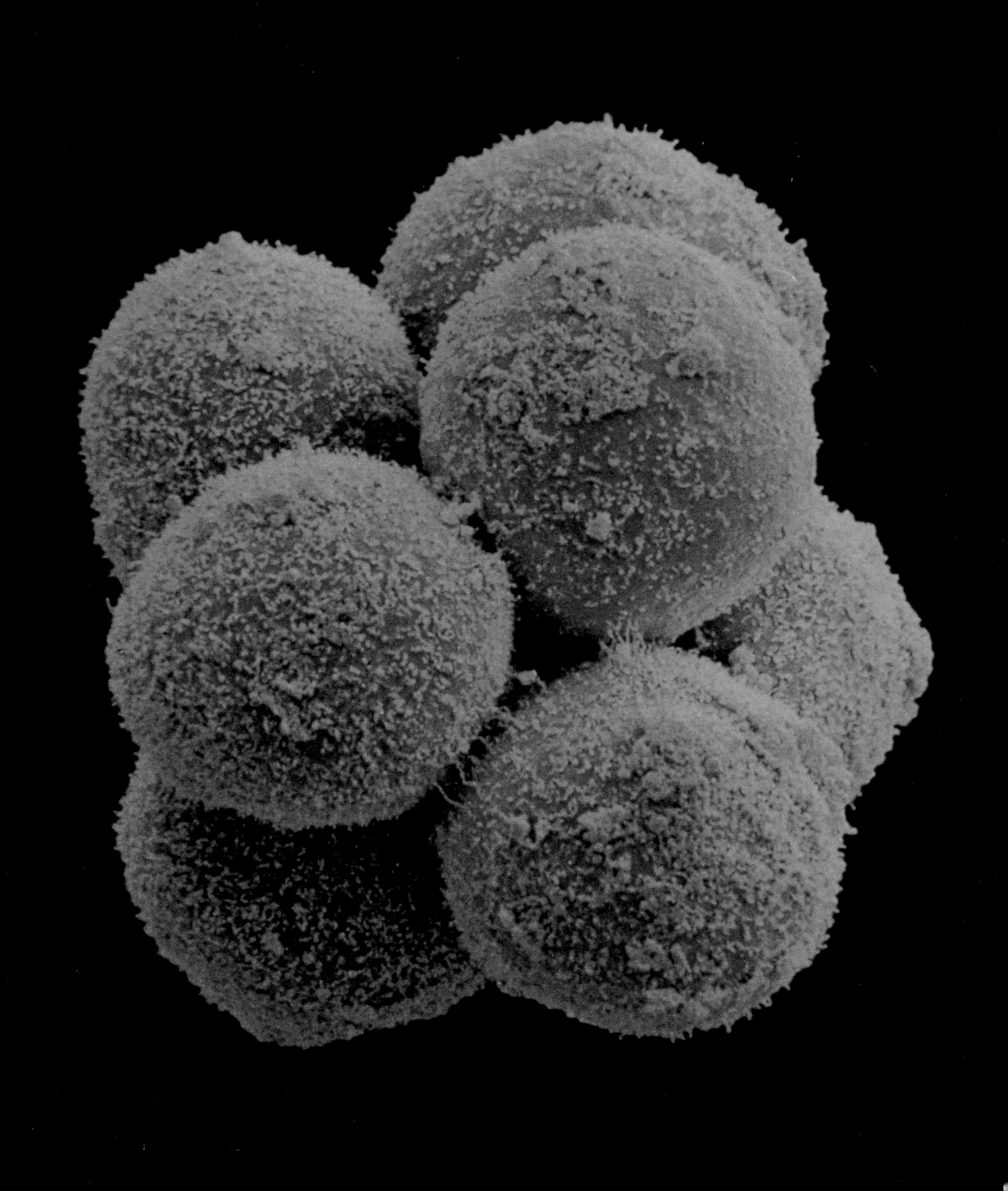

Ainsi, l'œuf, devenu une petite grappe,
longe pendant sept jours la paroi de l'utérus.
Et le huitième jour, il se pose
et se fait un nid douillet.
Vite, vite, il fait pousser de très fines racines
creuses qu'il enfonce dans la paroi de l'utérus.
Les cellules qui, jusque-là, s'étaient débrouillées
toutes seules pour vivre
vont maintenant se nourrir, grossir
et se transformer en bébé.
Dorénavant, toutes les bonnes choses
que la maman mangera seront digérées et
conduites par son sang jusqu'au sang du bébé.
Et la fabuleuse aventure continue.

La grappe des cellules grossit,
s'allonge, se modifie.
En moins de deux mois, elle se fabrique
une sorte de piscine intérieure, dans laquelle
peu à peu apparaît une curieuse petite chose
vivante qui ressemble fort à une crevette,
pas plus grosse qu'une miette de biscotte.
On l'appelle l'embryon. Il porte déjà en lui
tout ce qui fera un beau bébé :
toutes les cellules prêtes à devenir les nerfs,
le cerveau, les poils, la peau, les os, les muscles,
les reins, le cœur, les poumons, le foie,
les intestins... Tout est déjà là, en préparation.
On ne voit rien qu'une petite tête au bout
d'une tige, et un cœur qui bat...

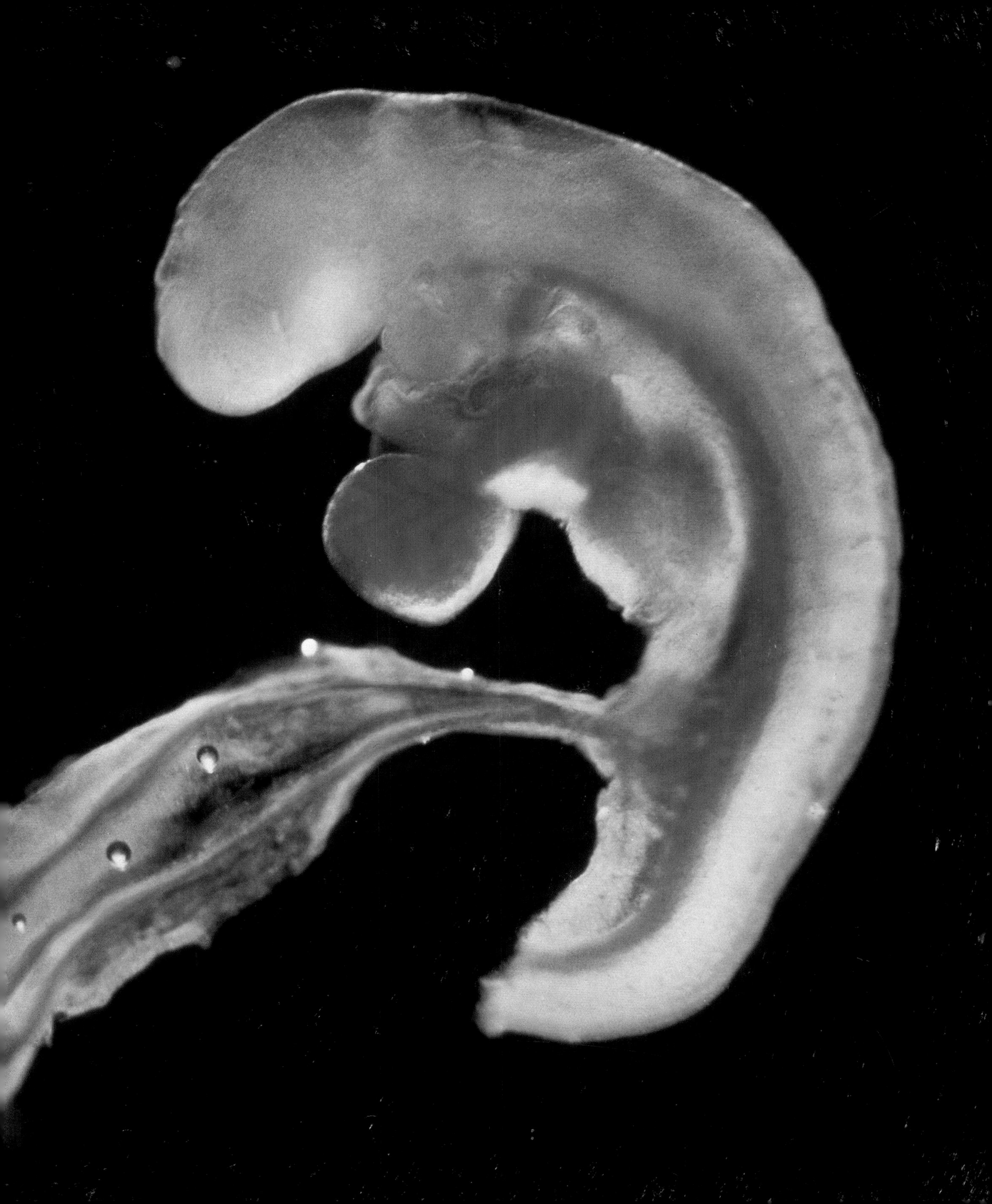

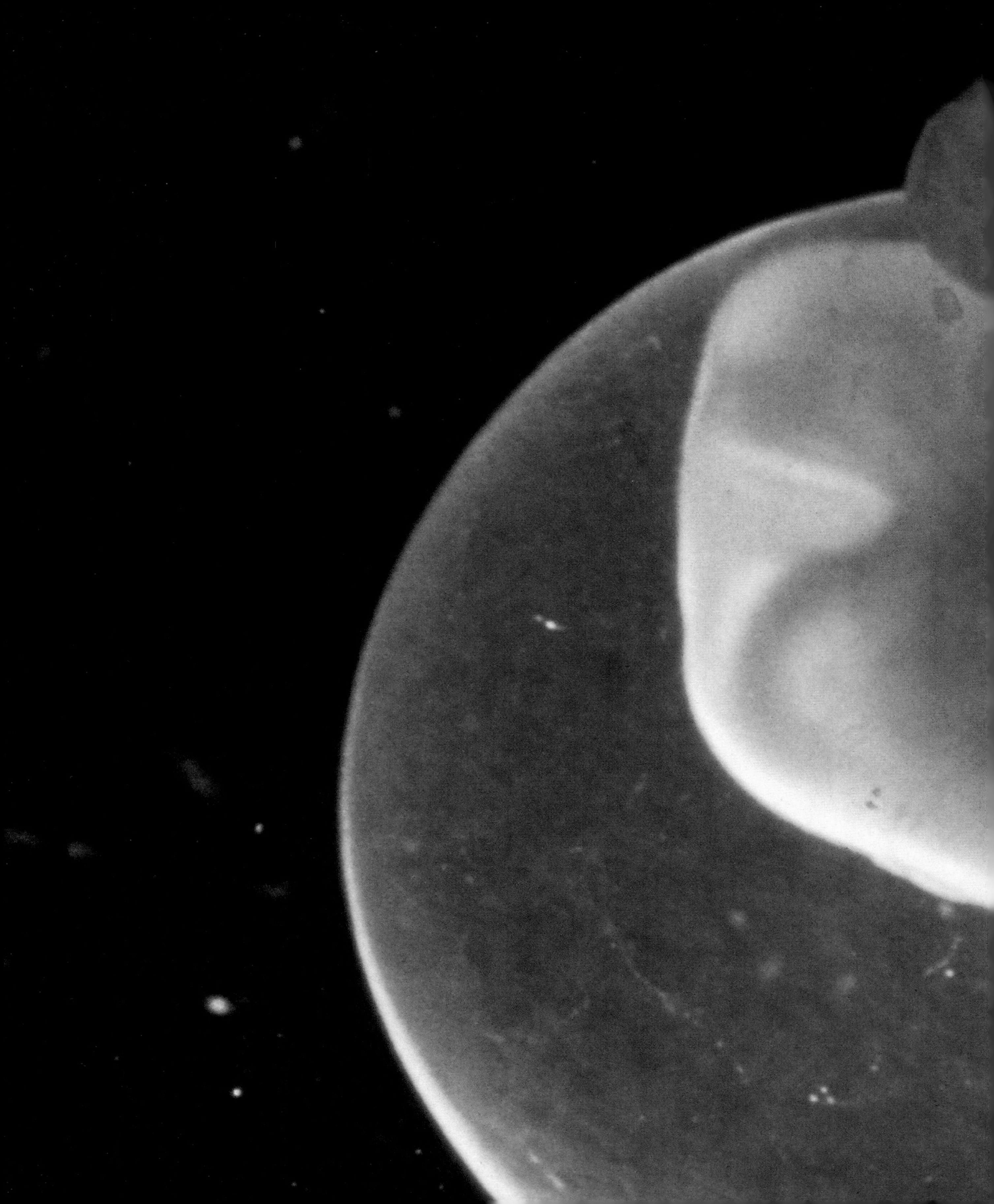

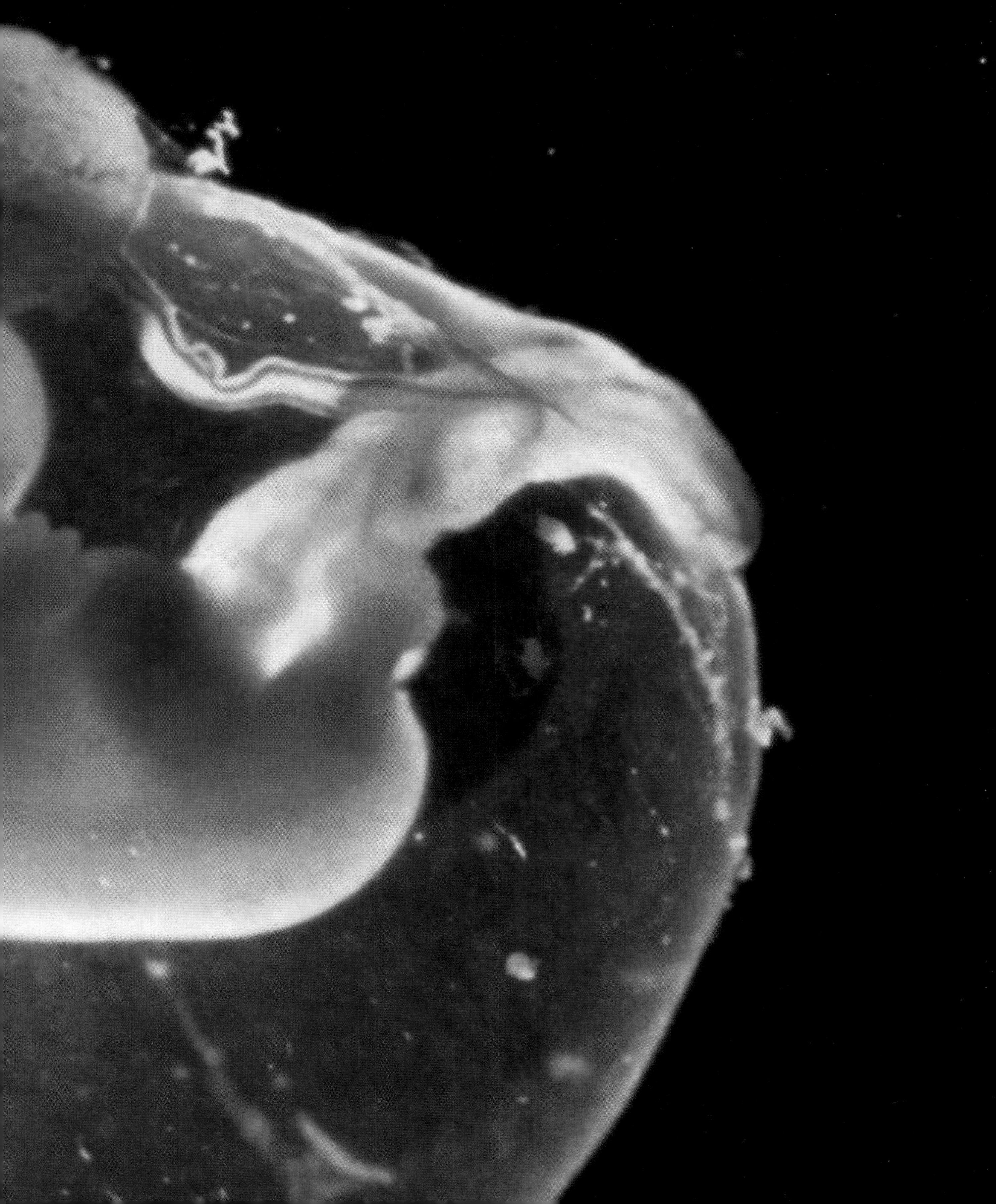

Pendant quelque temps,
l'embryon ne bouge pas.
Il se contente de grossir,
sa tête surtout, qui devient énorme,
avec deux grands yeux noirs qui ne voient rien.
Mais qu'importe ! dans l'utérus, il fait sombre.
La bouche, les oreilles, le nez se dessinent.
Le corps se modèle.
Deux bras poussent, deux jambes aussi,
et puis les mains, avec leur cinq doigts
et les ongles au bout.
En trois mois, l'embryon devient un vrai bébé,
grand comme ta main.
Et on peut même savoir
si c'est une fille ou un garçon !

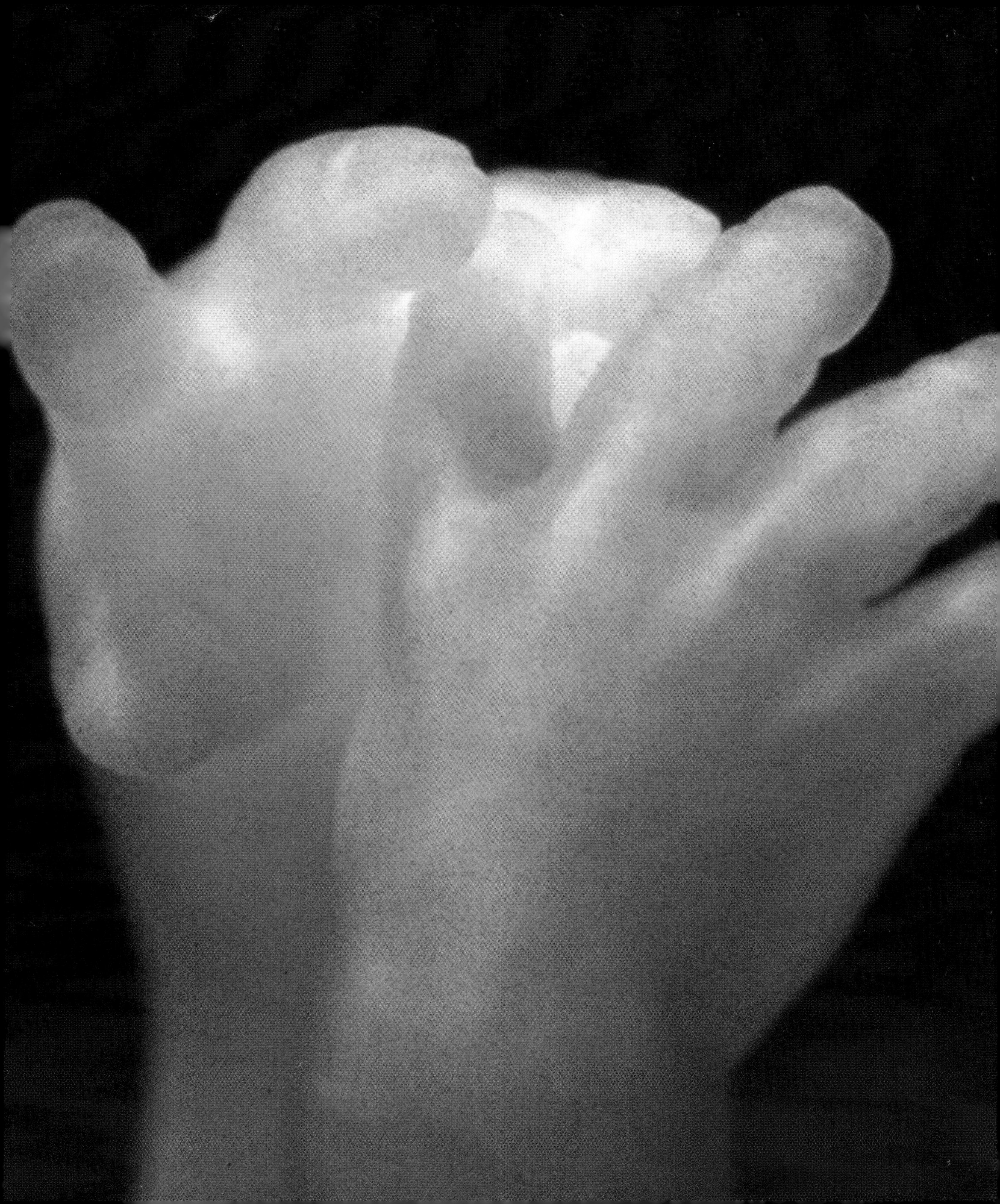

Quatre mois, cinq mois, six mois...
Le ventre de la maman grossit, grossit, grossit.
Dans sa bulle remplie d'eau,
le bébé grandit, grandit, grandit...
Confortablement adossé
à la paroi de l'utérus,
il se nourrit grâce à un long tuyau
très souple, le cordon ombilical.
La nourriture passe par l'intermédiaire
d'une sorte d'éponge, le placenta.
Ce qui est bon pour le bébé
va dans son sang.
Il se nourrit ainsi,
sans même ouvrir la bouche.

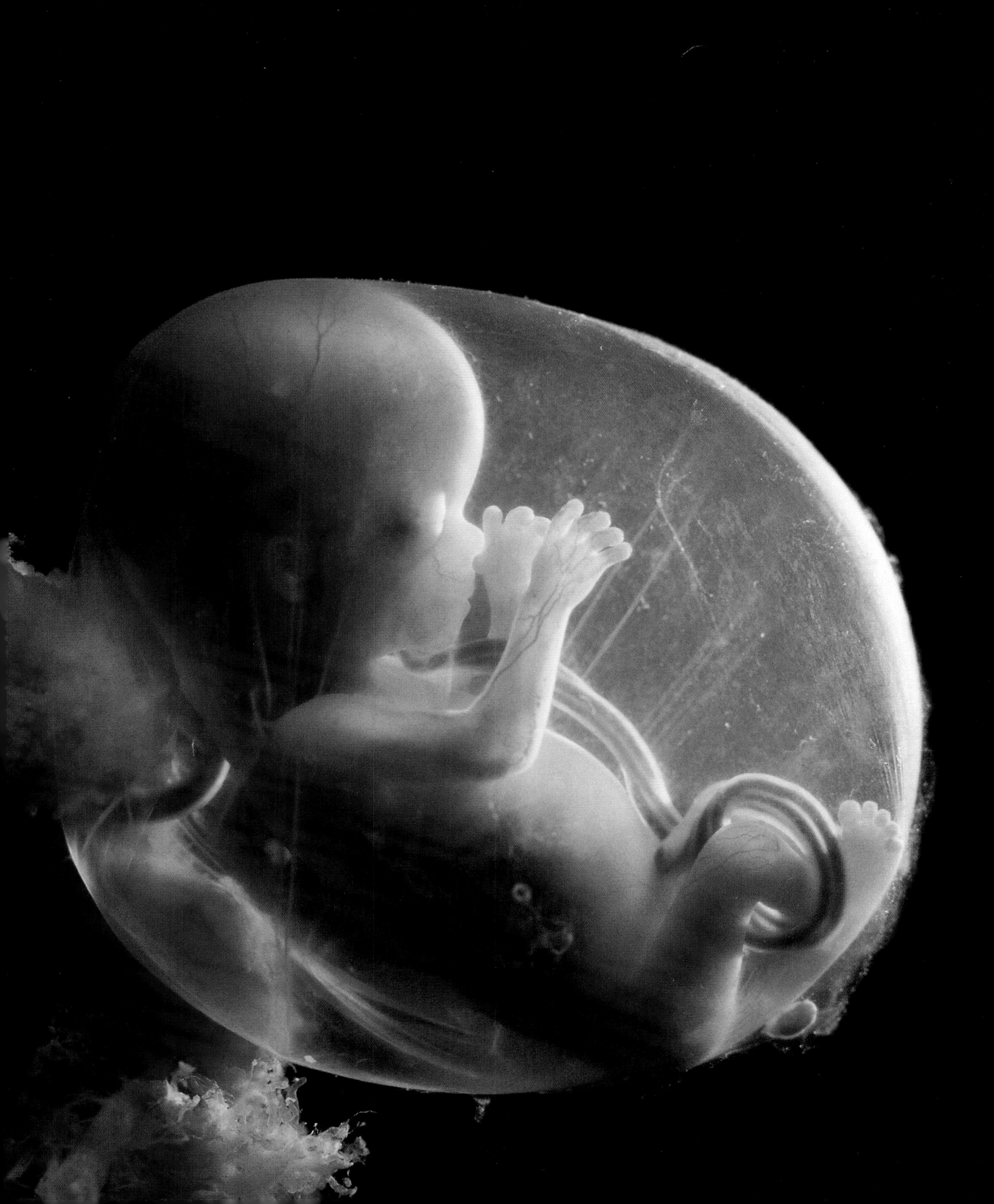

Le bébé a bien grossi dans sa bulle.
Tout replié sur lui-même,
il tente de se faire une place confortable.
Parfois, il détend brusquement une jambe,
puis l'autre ; c'est l'heure de la gymnastique.
Le ventre de la maman fait des bosses,
en haut, en bas, à droite, à gauche.
Et puis, plus rien, le grand repos ;
c'est l'heure de la sieste.
Le bébé s'endort.
Le pouce dans la bouche,
les mains contre les joues, il rêve.
Mais à quoi peut bien rêver
un si petit bébé ?

Neuf mois déjà !

Le bébé est prêt, c'est la naissance.

La maman sent son ventre devenir tout dur.

Dedans, l'utérus se serre, se desserre,

pressant le bébé vers la sortie.

Le bébé pousse la petite porte de l'utérus.

Puis, il se lance, la tête la première, dans

le tunnel du vagin pour jaillir dans le monde.

Une heure, deux heures, quatre heures,

six heures, et plus encore :

soudain, dans un dernier effort de la maman

qui pousse très fort, le bébé sort.

Il gonfle ses poumons, il crie,

pour la première fois il respire tout seul.

Il vit. Tout seul !

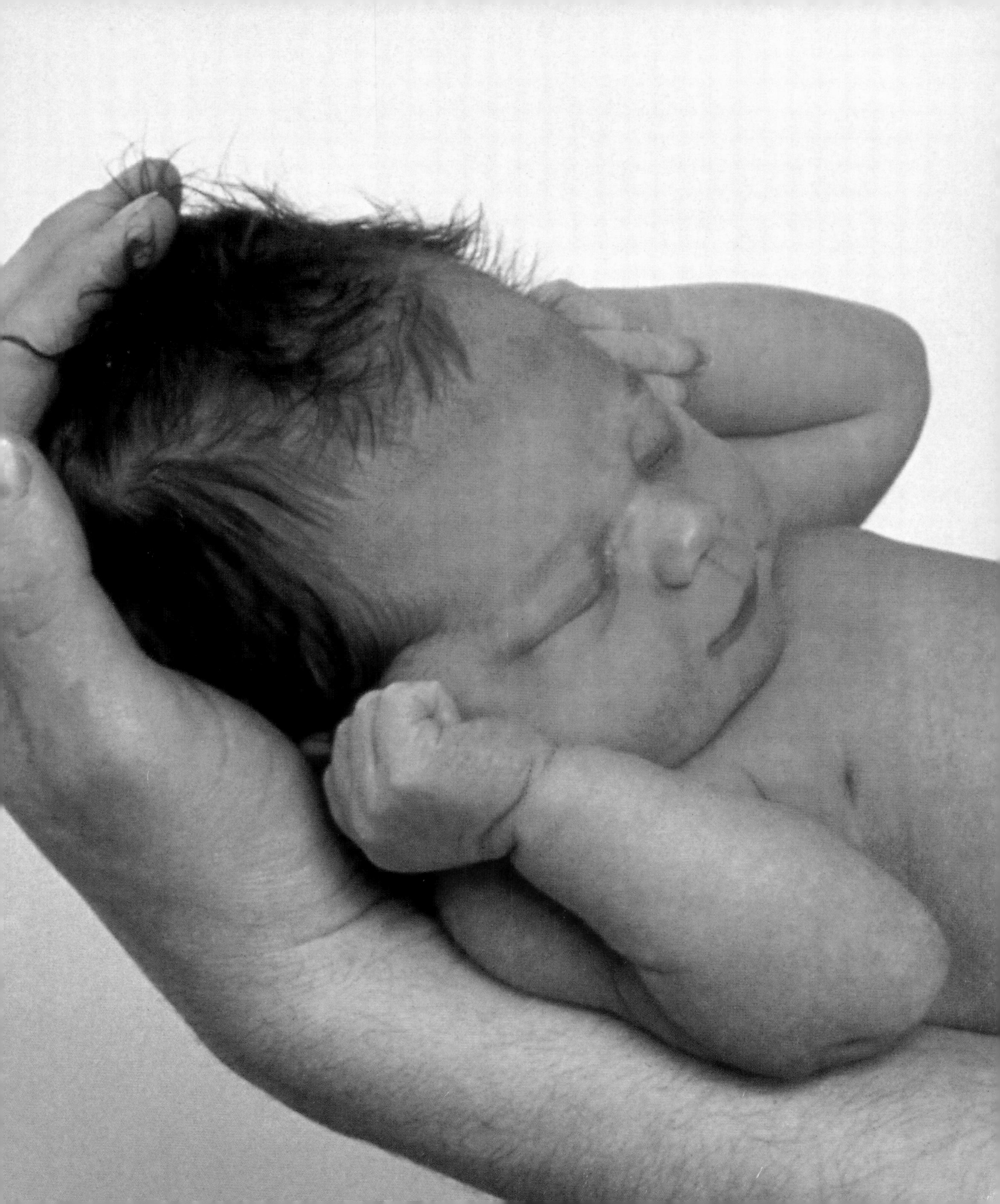

# Comment fait-on les bébés ?

**Un homme et une femme qui s'aiment beaucoup adorent se faire des câlins. Ils se blottissent l'un contre l'autre, se caressent, s'embrassent très fort.**

## Un grand moment de tendresse

Pendant que la femme et l'homme font l'amour, le pénis de l'homme devient tout dur. Lorsqu'ils sont prêts, l'homme glisse son pénis dans le vagin de la femme. Et, soudain, un liquide s'échappe tout au fond du vagin. Ce n'est pas du pipi, c'est du sperme. Il provient des testicules.

### La femme

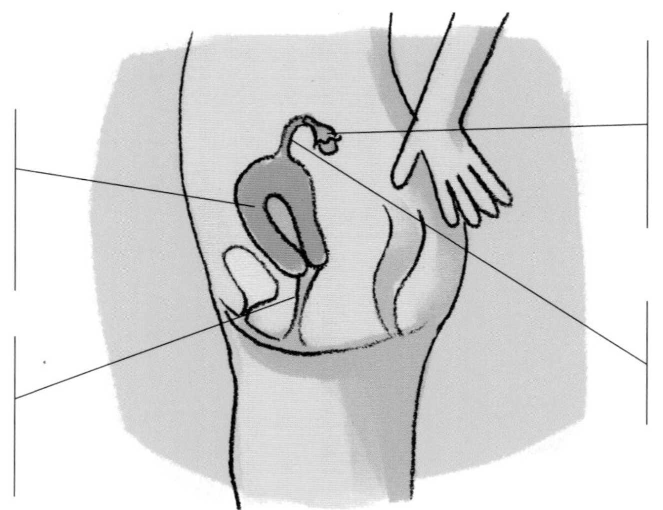

**L'utérus**
C'est un muscle qui ressemble un peu à une poche. Ce sera un abri douillet pour le futur bébé.

**Le vagin**
C'est un petit tunnel de 8 cm de long qui est au-dessous du trou pour faire pipi.

**Les ovaires**
Ils sont remplis d'ovules, des œufs minuscules. Une fois par mois, l'un des deux ovaires laisse échapper un ovule.

**Les trompes**
Ce sont deux tuyaux très fins qui relient les ovaires à l'utérus.

### L'homme

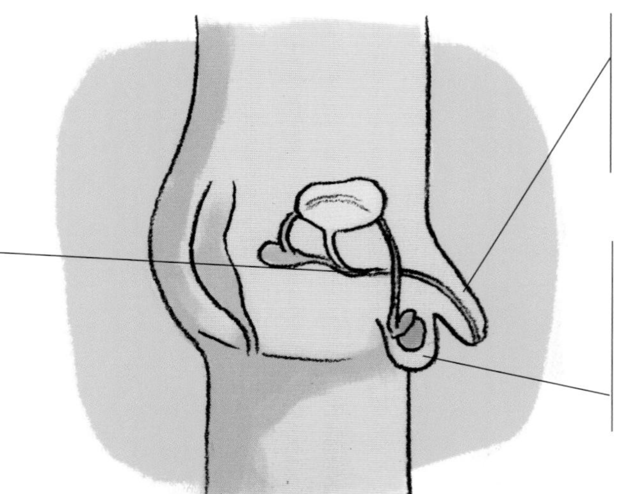

**Le canal**
Ce petit canal achemine un liquide blanc, le sperme, contenant les spermatozoïdes. Il va des testicules jusqu'au bout du pénis.

**Le pénis**
C'est le sexe de l'homme qui sert à faire pipi et à faire des bébés.

**Les testicules**
Ce sont deux petits sacs remplis de spermatozoïdes, des cellules en forme de têtards.

# La grande course des spermatozoïdes

**Pour faire un bébé, il faut que « deux petites graines se rencontrent » : le spermatozoïde de l'homme et l'ovule de la femme. Alors une très belle histoire commence.**

## Le début de la course...

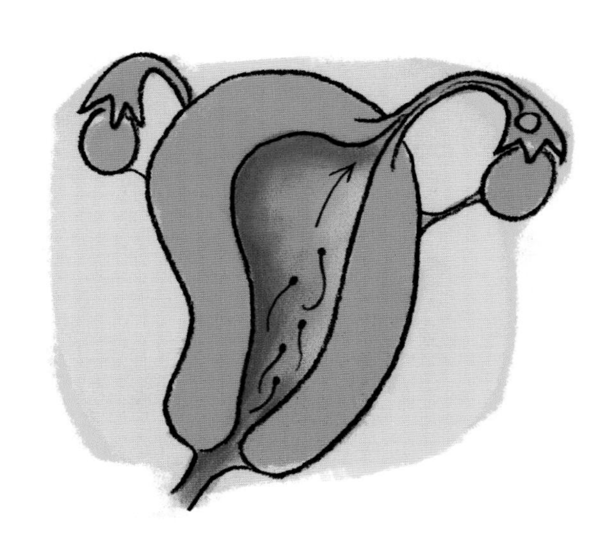

Au départ, le pénis libère environ cinq cent millions de spermatozoïdes dans le vagin de la femme. Ils agitent leur longue queue, comme un fouet. Certains abandonnent vite la partie. D'autres se perdent en chemin dans les replis de l'utérus ou des trompes. À l'arrivée, il ne reste plus qu'une centaine de spermatozoïdes.

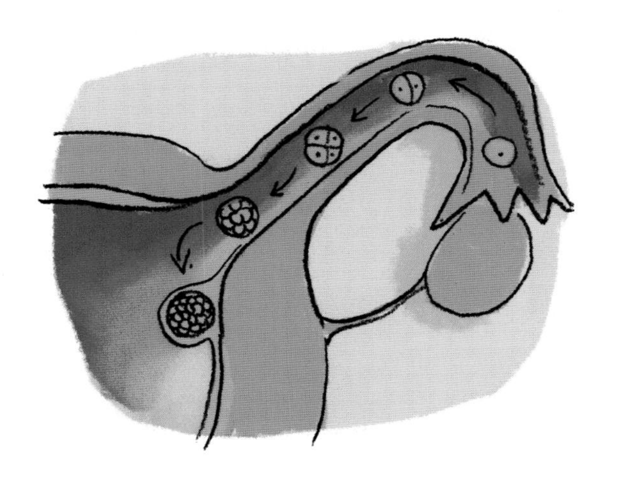

## La fin de la course

Tous se précipitent vers l'ovule, la tête la première. Au bout de vingt heures, un seul et unique spermatozoïde parvient à s'introduire dans l'ovule, c'est le grand gagnant. À partir de cet instant, l'ovule et le spermatozoide forment un œuf, le point de départ du futur bébé.

## Ensuite, un lent voyage

Pendant sept jours, l'œuf, qui ressemble de plus en plus à une grappe de raisin minuscule, avance dans la trompe et entre dans l'utérus, où il va se nicher.

# Comment un petit œuf

## Il faudra neuf mois à partir de la rencontre du spermatozoïde et de l'ovule

1

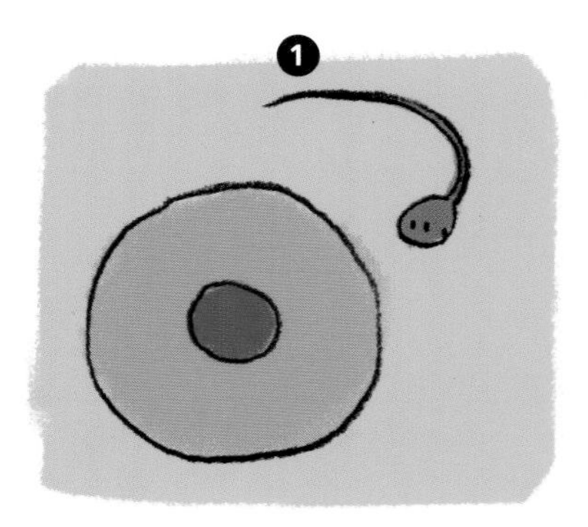

**1re minute**
Le spermatozoïde
et l'ovule
forment un œuf.

2

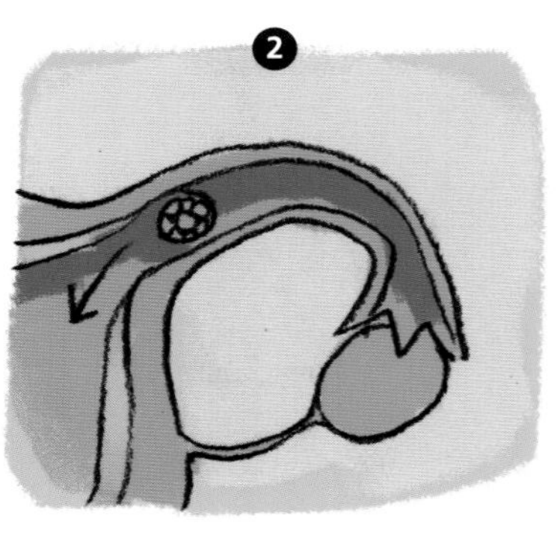

**4e jour**
L'œuf grossit
et se déplace
vers l'utérus.

3

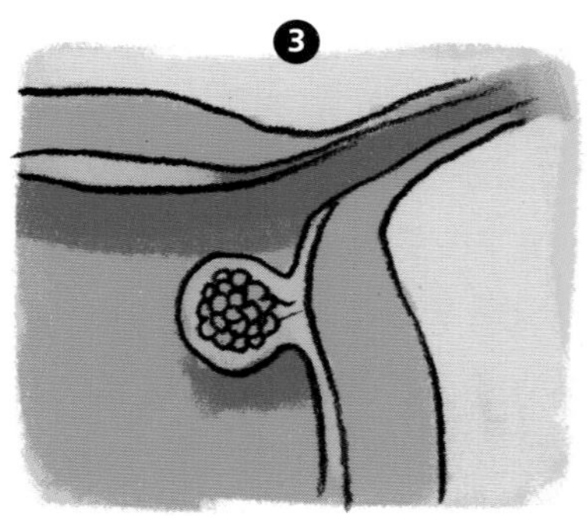

**1re semaine**
L'œuf fait
son nid
dans la paroi
de l'utérus.

4

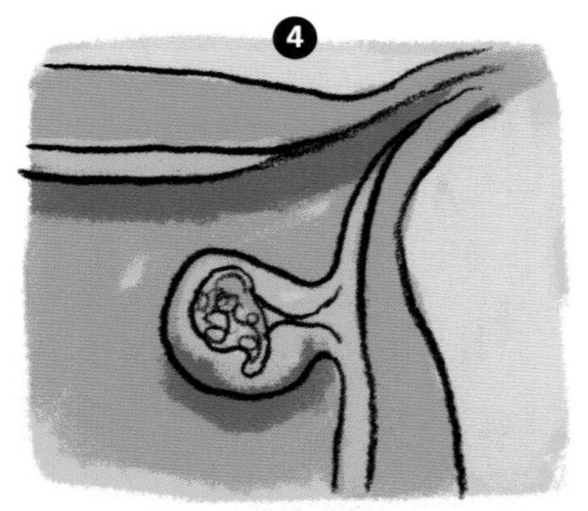

**2e semaine**
L'œuf devient
un embryon,
il contient déjà
les cellules qui
deviendront
le cœur, les poumons,
les os du squelette…

5

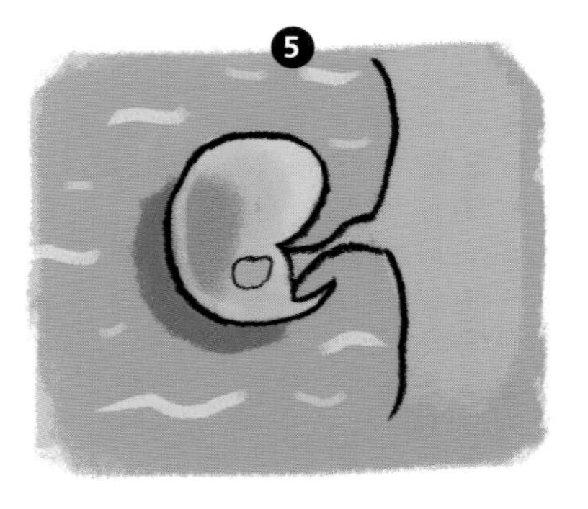

**3e semaine**
Le cœur
se met
à battre.

6

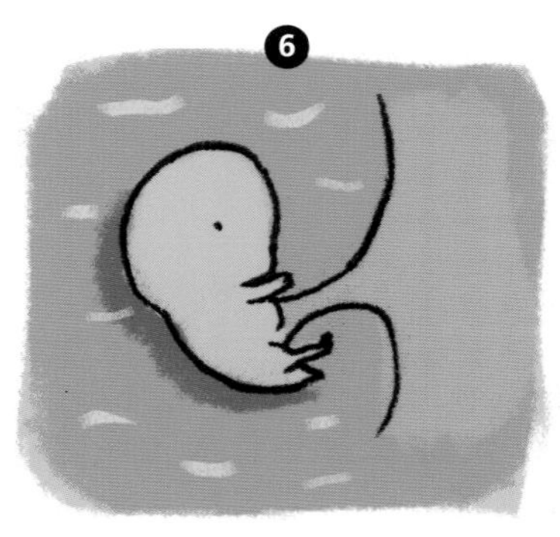

**1er mois**
Les doigts
se forment
au bout
des mains.
Les jambes
apparaissent.

7

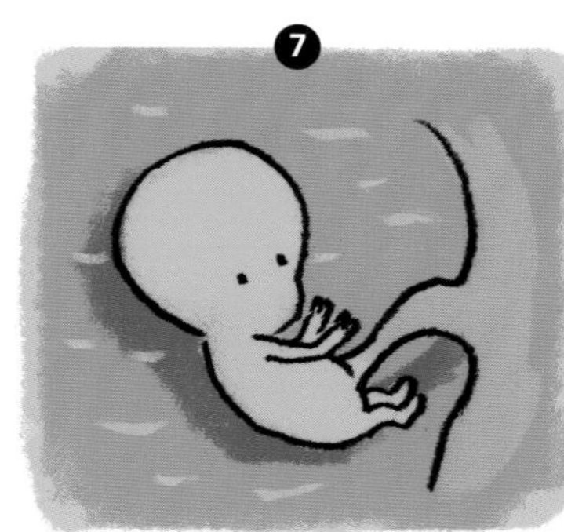

**2e mois**
Tout est en
place : le cœur,
les poumons,
la colonne
vertébrale,
les membres.
L'embryon
devient fœtus.

8

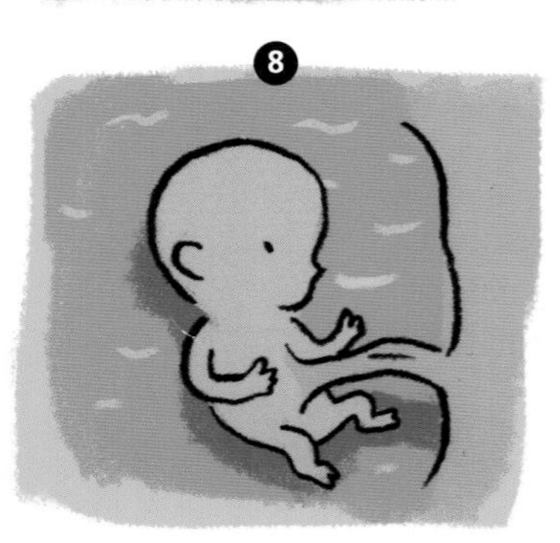

**2e mois**
**+ 15 jours**
Les yeux
sont là.
Les oreilles
aussi.

# devient-il un gros bébé ?

**pour que le petit œuf qu'ils ont formé devienne un nouveau-né.**

**3e mois**
Les bras
et les jambes
bougent
par saccades.

**3e mois +**
**15 jours**
Tous les organes
fonctionnent.
On peut déjà
savoir si ce bébé
miniature
est un garçon
ou une fille.

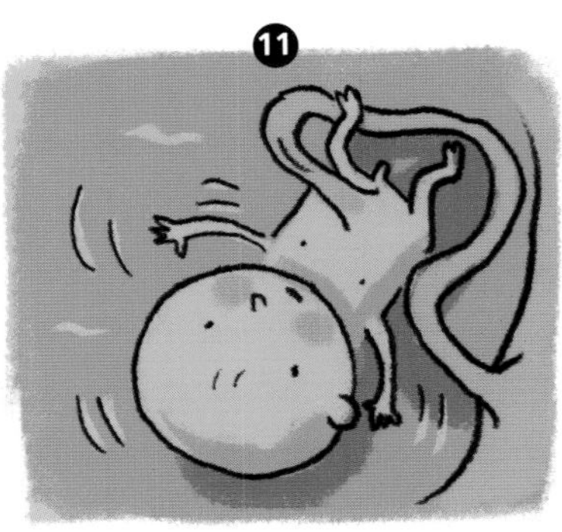


**4e mois**
Le fœtus
s'assied, s'étire,
se retourne.
Sa maman
le sent bouger
dans son ventre
qui a grossi.

**6e mois**
Le bébé, qui nage
dans le liquide
appelé
« amniotique »,
entend les voix
et les bruits.

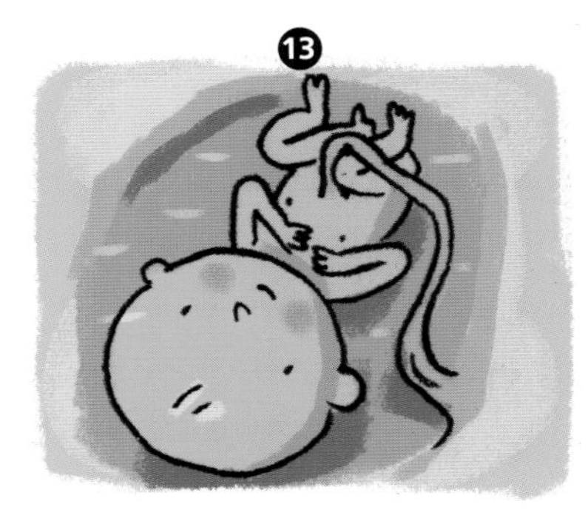


**7e mois**
Le bébé
se retourne.
La tête en bas,
il prend déjà
la bonne
position pour
quitter l'utérus.

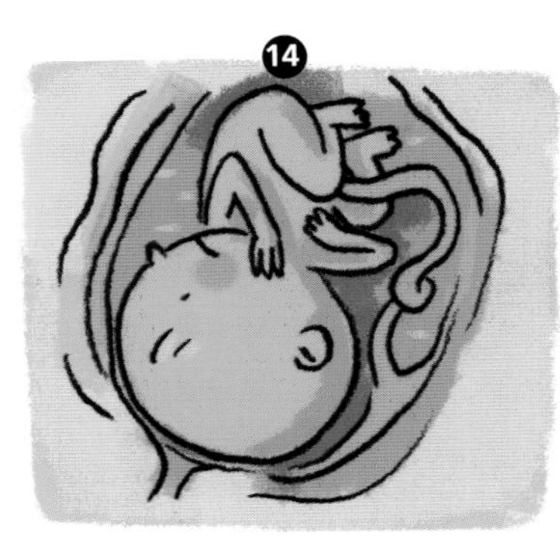


**7e mois**
**+ 15 jours**
Le bébé grandit
et grossit.
Il a de moins
en moins de place
pour bouger.

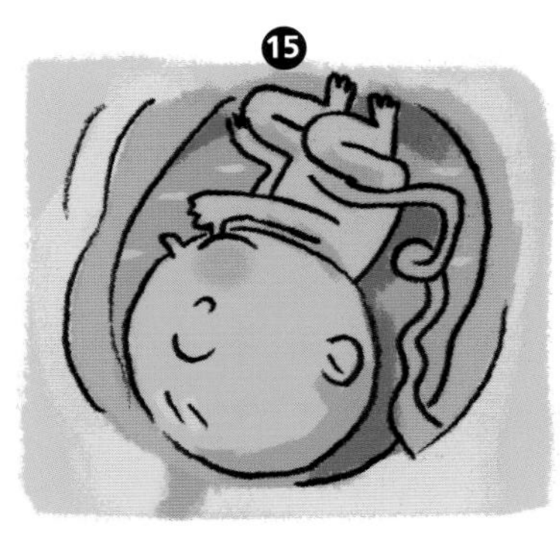


**8e mois**
Le bébé suce
son pouce.
Il s'entraîne
déjà à téter.

**9e mois**
Le bébé sort
de son nid
douillet : c'est
la naissance.

# Comment se nourrit le bébé ?

**Pas de biberon, pas de bouillie ; le bébé se nourrit directement de toutes les bonnes choses apportées par le sang de sa maman.**

## Une enveloppe fluide remplie de liquide amniotique

Le bébé vit dans une bulle de douceur remplie d'un liquide tiède, le liquide amniotique. Il le boit, il y fait pipi sans danger de s'empoisonner, car ce liquide se renouvelle en permanence.

## Un tuyau pour respirer et se nourrir : le cordon ombilical

Le bébé ne mange pas avec sa bouche et il ne respire pas avec ses poumons. Un petit tuyau, le cordon ombilical, conduit dans le sang du bébé de l'oxygène pour qu'il respire et des aliments sous forme de minuscules molécules pour le nourrir.

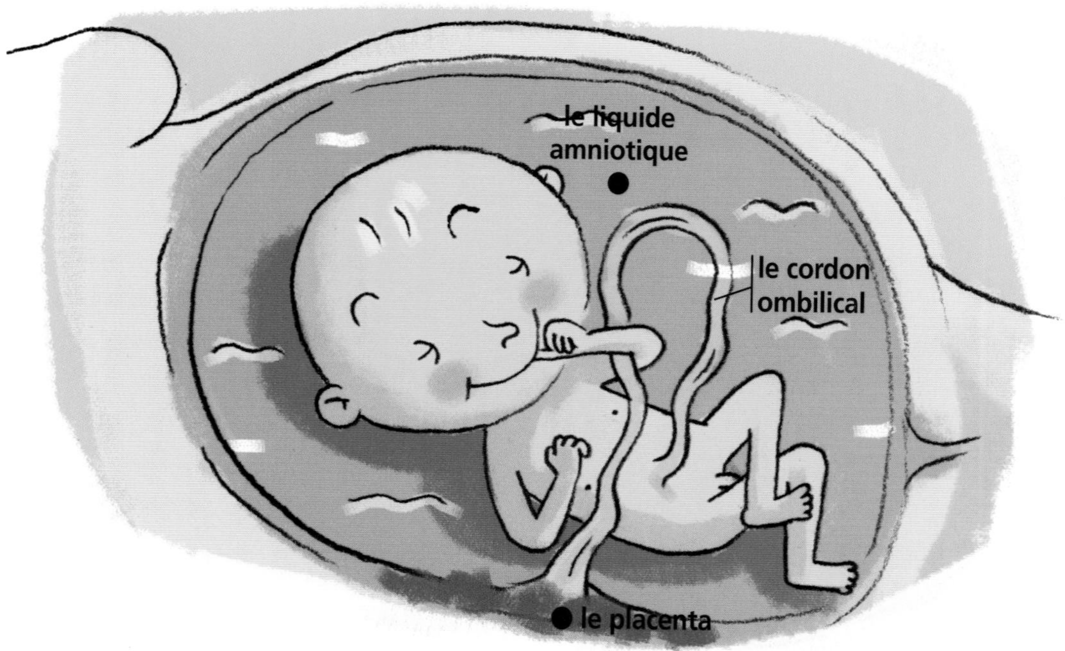


## Un filtre à nourriture : le placenta

Contre l'utérus où vit le bébé, il y a comme une grosse éponge : le placenta. Il est imprégné du sang de la maman. C'est là que le bébé puise les vitamines et les sels minéraux qui le font grandir.

# Est-ce qu'il voit, est-ce qu'il entend ?

**Dès le deuxième mois, le bébé commence à toucher ce qui l'entoure. Peu à peu, il perçoit ce qui se passe : il entend les bruits, il sent les odeurs, il goûte ce qu'il avale...**

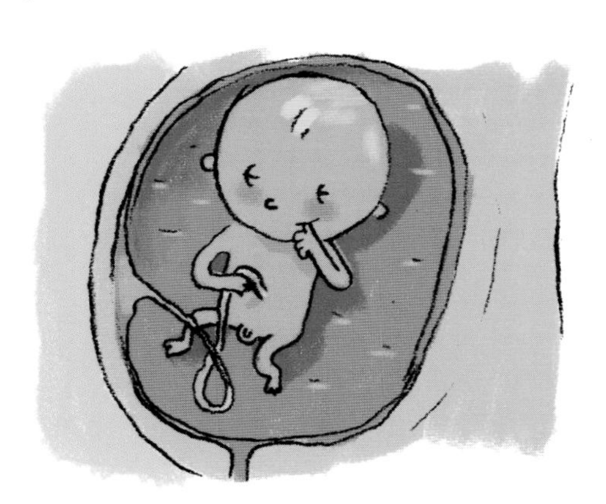

## Le bébé touche

Le bébé aime attraper, palper, caresser. Il fait glisser et tire le cordon dans sa main, comme un élastique. Il met son pouce à la bouche. Il se frotte le dos contre la paroi lisse et douce de son enveloppe.

## Le bébé entend

Dès l'âge de trois mois, le bébé commence à percevoir les battements du cœur de sa maman. Il entend les gargouillis de son ventre, le bruit de sa respiration. Il entend aussi les bruits extérieurs : les rires, les cris, la musique, les klaxons, l'aspirateur...

## Le bébé goûte

Le bébé avale et rejette trois litres de liquide amniotique par jour. Il teste le goût de cette eau tiède et légèrement salée.

## Le bébé sent

On pense que le bébé est capable de sentir les différents arômes du liquide amniotique quand la maman change de nourriture.

## Le bébé voit

Une très faible lueur réussit à traverser la peau de la maman. À part cette vague lueur rougeâtre, le bébé ne voit rien avant la naissance.

# Que fait le bébé toute la journée ?

**Si l'on place sa main sur le ventre de la maman, on peut sentir parfois comme des petites vagues sous les doigts. C'est le bébé qui se réveille.**

## Il dort énormément

Le bébé dort jusqu'à vingt heures par jour, et il il rêve plus de la moitié du temps. Ses tout premiers mouvements sont dus à des réflexes nerveux qu'il ne contrôle pas. Il plie les jambes ou tend les bras de façon désordonnée.

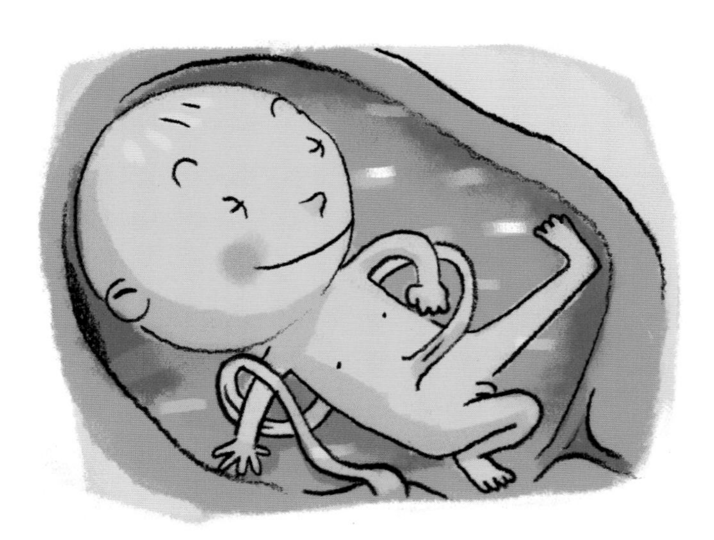

## Il bouge beaucoup

Vers le quatrième mois, le bébé donne des coups de pied contre le ventre de sa maman. Il a toute la place qu'il veut pour faire des galipettes et des sauts. Il joue avec son corps. À partir du septième mois, il suce son pouce et bâille. Parfois, à force d'avaler, il a le hoquet.

## Il attend patiemment

À partir du septième mois, le bébé, qui a bien grossi, est à l'étroit. Il se retourne de moins en moins souvent. Le dernier mois, il reste replié de longues heures dans la même position.

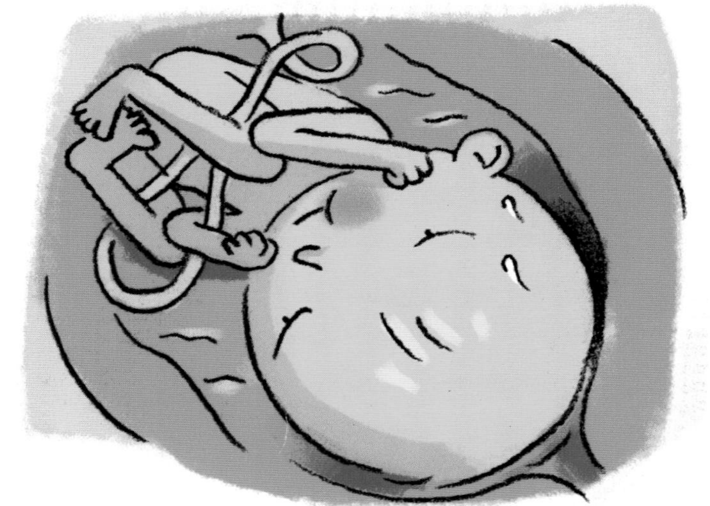

# Comment se passe la naissance ?

**Le bébé a vécu neuf mois dans le ventre de la maman. Il a grandi et grossi, maintenant il est prêt à naître. C'est le moment de la naissance.**

## Les premiers signes

Un jour, la maman sent que son ventre se durcit – une fois, deux fois, dix fois : ce sont des contractions. Il faut partir à la clinique, l'accouchement commence.

## L'avancée du bébé

Pendant plusieurs heures, le bébé va lentement quitter l'utérus bien chaud et bien douillet pour s'engager la tête la première dans le vagin de la maman. Les muscles de l'utérus qui se contractent le pressent dans le tunnel du vagin.

## L'arrivée du bébé

La sage-femme aide alors le bébé à naître. Peu à peu, sa tête apparaît, puis ses épaules et tout son corps.

## Le cri de la vie

Le bébé pousse alors un grand cri pour remplir ses poumons d'air. Il respire pour la première fois. Ensuite, la sage-femme ou le papa coupe le cordon ombilical. Le bébé ne sent rien du tout.

## Le premier câlin

Après tant d'efforts, le bébé se retrouve dans un univers inconnu. Sur le ventre de sa maman, il se repose enfin de ce grand bouleversement. En quelques jours, il fera connaissance avec ses parents.

# C'est quoi, l'échographie ?

**Aujourd'hui, grâce à l'échographie, on peut surveiller ce qui se passe dans le ventre des mamans qui attendent leur bébé.**

## Pour voir si tout va bien

L'échographie permet de contrôler que le bébé grandit bien. Le médecin mesure sur l'écran sa tête, observe son cœur, ses reins, sa colonne vertébrale... Il vérifie si le bébé n'a pas de problèmes de santé. À partir du quatrième mois, il peut même savoir si c'est une fille ou un garçon !

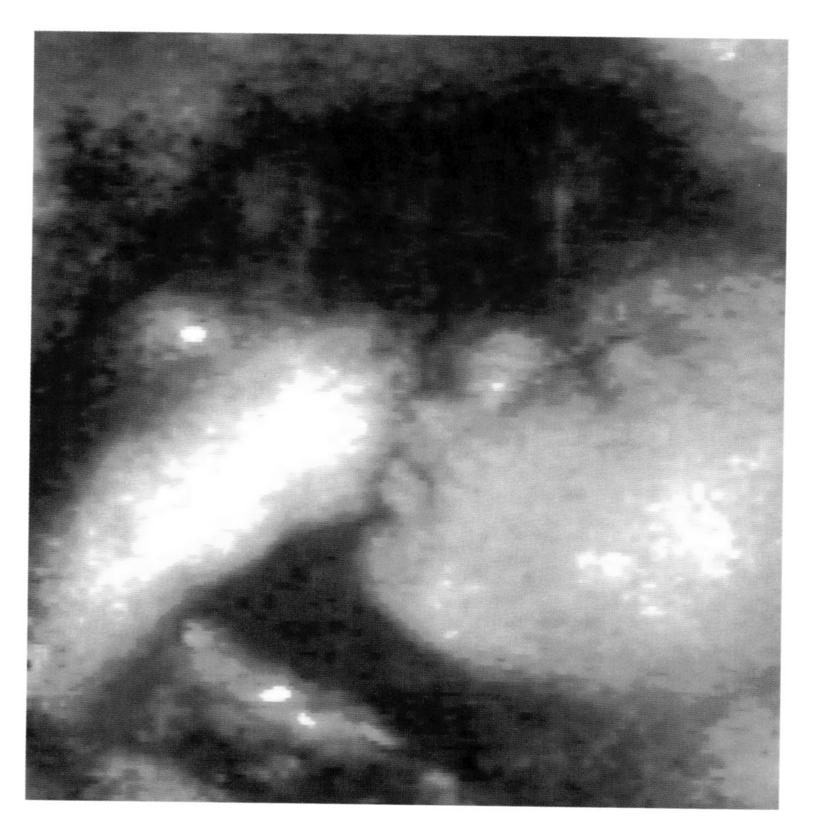

**Photographie d'une échographie en 3D.**

## Comment ça marche ?

L'échographie est une image fabriquée grâce à un appareil qui envoie des rayons invisibles à travers la peau du ventre de la maman jusqu'au bébé. Ces rayons rebondissent sur le bébé et retournent dans l'appareil, qui les transforme en image. On voit alors s'animer sur un écran d'ordinateur le bébé, qui ne sent rien du tout.

Crédits photographiques

Photo de couverture et pages 7, 13, 15, 21, 23 : Lennart Nilsson
Les photos de Lennart Nilsson sont extraites de *Naître,* édité par Hachette.
Pages 8/9 : Dr Sundström/CNRI
Page 11 : J. Burns/Ace/Phototake/CNRI
Pages 16/17, 19, 24/25 : Guigoz/Petit Format
Page 27 : J. Hart/Petit Format
Page 36 : Combergh/Castro/Sipa Press

Impression et reliure : Pollina s.a., 85400 Luçon, France
N° d'éditeur : 5251 - N° d'impression : 79800

Connais-tu la collection

## HISTOIRES D'ANIMAUX ?

**Des photos magnifiques, une très belle histoire, et toutes les réponses à tes questions sur la vie des animaux.**

Le chat

Le cheval

Le chimpanzé

Le dauphin

L'éléphant

Le guépard

Le koala

Le loup

Le manchot

L'ours

Le renard

Le tigre